de 160 nouvelles phrases pour s'amuser à bien

AR-TI-CU-LER

Laurent Gaulet

+ de 160 nouvelles phrases pour s'amuser à bien

AR-TI-CU-LER

Macha la vache

FIRST
Editions

© **Éditions First, 2007**

*Le Code de la propriété intellectuelle interdit les copies
ou reproductions destinées à une utilisation collective. Toute
représentation ou reproduction intégrale ou partielle faite par quelque
procédé que ce soit, sans le consentement de l'Auteur ou de ses
ayants cause est illicite et constitue une contrefaçon sanctionnée par
les articles L335-2 et suivants du Code de la propriété intellectuelle.*

ISBN 978-2-7540-0382-7
Dépôt légal : 2ᵉ trimestre 2007
Imprimé en Italie
Création graphique : Kumquat
Dessin de couverture : Kum Kum Noodles / Costume 3 pièces
Édition : Élodie Le Joubioux

Cet ouvrage est proposé par e-Novamedia.

*Nous nous efforçons de publier des ouvrages qui correspondent
à vos attentes et votre satisfaction est pour nous une priorité.
Alors, n'hésitez pas à nous faire part de vos commentaires :*

Éditions First
27, rue Cassette
75006 Paris – France
Tél. : 01 45 49 60 00
Fax : 01 45 49 60 01
e-mail : firstinfo@efirst.com

En avant-première, nos prochaines parutions, des résumés
de tous les ouvrages du catalogue. Dialoguez en toute
liberté avec nos auteurs et nos éditeurs. Tout cela et bien
plus sur Internet à : www.efirst.com

[AR] [MO] [NI] [KA]

L'harmonica
de Monique
est en harmonie
avec l'harmonium
de Monique,
car l'harmonica
de Monique
est harmonieux.

(retenir et répéter)

[ASSE] [AXE]

Hélas, l'axe
de l'os casse
et l'as se
désaxe l'os.

(répéter dix fois)

[ASSE] [AXE]

Il course l'as
des cursus
mixtes.

(répéter dix fois)

[AVE] [FLE]

En aval
du fleuve,
la lave avale
les flammes et
ravive l'effluve.

(réciter le plus vite possible)

8

[AXE] [XE] [EXCE]

Max exècre
le xérès.

(répéter dix fois)

[AXE] [XE] [EXCE]

Le sexiste
Max s'excite.

(répéter dix fois)

[BE] [DE]

Bob a dû boire...
Bob a deux bouts
de dent dedans
deux bancs
de bois debout !

(réciter le plus vite possible)

[BIL] [BAL] [BOUL]

Dans le hall du bal,
Bill déballe des boules
et des balles, mais
une balle de Bill
déboule du hall
du bal.

(réciter le plus vite possible)

[BIL] [BAL] [BOUL]

Des débiles déballent des boules, empilent des balles, épilent des boules.

(réciter le plus vite possible)

[BO] [BAR] [BU]

Les beaux
bars du barbu
Bernard et les
bobards du
beau Barnabé.

(répéter dix fois)

[BO] [BAR] [BU]

Barbarie et bobards de barbares barbus barbent !

(répéter dix fois)

[BU] [LO] [BOU]

Le bulot bout
et a bu l'eau :
c'est le boulot
du bulot !

(répéter dix fois)

[CASSE] [CAR]

On pourrait fabriquer quarante-quatre maracas grâce aux carcasses de quatre cars cassés de Caracas.

(retenir et répéter)

[CATE] [CLAC] [CLAPE]

Cot cot codec !
La cocotte
claquette. Clac !
Le coq claque
son clapet et lui
cloue le bec !

(réciter le plus vite possible)

[CAT] [CHE] [CRACHE]

Le catcheur crache et cache sa crasse.

(répéter dix fois)

[CATE] [ATCHE] [TCHE]

Quatre
Tchèques
cachent
quatre
catcheurs.

(répéter dix fois)

[CHA] [CHI] [CHE]

Le chameau
s'acharne
à charmer
la chamelle,
la chamelle
à chiner
le chamois.

(répéter dix fois)

[CHA] [CHI] [CHE]

Chez moi,
un Chinois
se niche et
un Niçois chine.

(répéter dix fois)

[CHA] [CHI] [CHE]

Est-ce chic et chiche ou chiche et sans chichis ?

(répéter dix fois)

[CHA] [CHI] [CHE]

La charmante
Macha
mâche en
marchant.

(répéter dix fois)

[CHA] [CHI] [CHE]

Chaque
Chilien chine
chiens chinois
et chinchillas.

(répéter dix fois)

[CHA] [CHI] [CHE]

Ces miches,
quiches
et biches
en broche
m'allèchent.

(répéter dix fois)

[CHA] [CHI] [CHE]

Macha la vache
mâcha la mâche
et se tacha.
Macha la vache
à taches lava
la tache.

(réciter le plus vite possible)

[CHA] [CHI] [CHE]

Le taureau mâche,
la vache rote.
Le taureau se tache,
la vache frotte.

(répéter dix fois)

[CHA] [CHI] [CHE]

Cache le machin
truc muche de chose
machin chouette
et celui de truc
machin chose.

(retenir et répéter)

[CHA] [CHI] [CHE]

La biche lèche
la bidoche à la pistache.
Bâche la bidoche
car la bouche
de la biche tache.

(réciter le plus vite possible)

[COQUE] [IQUE] [IXE]

La cocarde
pique Coco
le coq au cucul,
Cocorico ! Son
coccyx pique !

(réciter le plus vite possible)

[COUR] [ROU] [GOUR]

Sous le courroux,
des gourous
accourent
et coursent
les coucous roux
aux cous courts.

(retenir et répéter)

[CRE] [QUE]

Un crétin
accroupi creuse
un cratère car
la crevasse
croît et la
crypte craque.

(retenir et répéter)

[CRE] [QUE]

Cric crac !
La cruelle
crapule à crête
crépue écrase
un criquet
et le croque cru.

(retenir et répéter)

[CRE] [QUE]

À Cannes, les cancres cancanent et crânent.

(répéter dix fois)

[CRE] [QUE]

Le cri du criquet crispe.

(répéter dix fois)

[CRE] [QUE]

Croque quatre
crevettes crues
et quatre
crabes creux.

(répéter dix fois)

[CRE] [QUE]

Qui eût cru
la queue
crue et qui
l'eût crue
cuite ?

(répéter dix fois)

[CRE] [QUE]

Qu'écrit Éric ?
Éric écrit que
Kiki crie et rit.

(répéter dix fois)

[DELIMI] [DEMILI] [DIMILE]

Délimitera-t-il la
démilitarisation à
dix mille miles ?

(répéter dix fois)

[DELIMI] [DEMILI] [DIMILE]

Dix militants
disent militer
pour la
démilitarisation
de dix mille
militaires.

(répéter dix fois)

[DRIN] [FRIN] [TRIN] [GRIN]

Le drain du frein du train craint le grain et les brins de crin.

(retenir et répéter)

[ELAS] [ELIA] [ILIA] [ILIAS]

Hélas, Éliane
n'a ni lianes
ni liasses.

(répéter dix fois)

[ELI] [ILE]

Il élimine
l'illettrisme
et l'élitisme
illégitime.

(répéter dix fois)

[ELI] [ILE]

Il est illégitimement éligible.

(répéter dix fois)

[ESSE] [EXE] [ERSE]

Son père espère que l'expert perce avec perspicacité.

(répéter dix fois)

[ESTE] [STATE]

Lui s'estime
statisticien.
Tu t'estimes
statisticien ?

(répéter dix fois)

[EXE] [EGE]

Exagérais-je ?

Ai-je exagéré ?

(répéter dix fois)

À l'affût sous
les feuilles,
le fou fouille
la faille puis file
farfouiller le fief
des filles.

(répéter dix fois)

[FON] [DAN] [FAN] [DON]

Le fondant
du bonbon est dans
le fond du bonbon.
Fendons le bonbon
et le fondant du
bonbon fendu fond !

(retenir et répéter)

[FRA] [FRE] [FRI] [FRO] [FRU]

Foie frit froid et fruits frais frits.

(répéter dix fois)

[FRA] [FRE] [FRI] [FRO] [FRU]

Il fait froid,
ça l'effraye.
Le froid
l'effraye, le frais
lui fait effroi.

(répéter dix fois)

[GLE]

Sur la glace,
l'ongle lisse
glisse et se
glace.

(répéter dix fois)

[GLOBE] [GOBE] [BLAGUE] [BAGUE]

Quand Gabie blague, elle gobe le globe et la bague.

(répéter dix fois)

[GLOBE] [GOBE] [BLAGUE] [BAGUE]

Les blagues
glauques
des blogs
englobent
le globe.

(répéter dix fois)

[GLOBE] [GOBE] [BLAGUE] [BAGUE]

Tous les blogs
du globe buguent.

(répéter dix fois)

[GLOU] [OUL]

Quand la dinde
gloutonne
glougloute, toutes
les poules saoules
gloussent.

(réciter le plus vite possible)

[I] [UI] [OI]

Dix-huit
doigts
droits
de druides.

(répéter dix fois)

[ISE]

Ils s'enlisent
s'ils élisent
Élise à
l'Élysée.

(répéter dix fois)

[ISSE]

Le mysticisme
de ces six miss
mystificatrices
s'immisce ici, aussi
mystérieusement
que ces six miss
métisses mystifient.

(retenir et répéter)

[ISTE] [EXISSE] [EXCI] [IXE]

Si ces six kystes
existent,
ces six kystes
s'excisent-ils
ou leurs excisions
s'esquivent-elles ?

(retenir et répéter)

[ISTE] [EXISSE] [EXCI] [IXE]

Si Marx
s'excite,
Marc le
trotskiste
mixe.

(répéter dix fois)

[JE] [SE] [CHE]

Je suis juché
sur sa chaise.

(répéter dix fois)

[JE] [SE] [CHE]

J'ai chu.
Ça s'est su ?

(répéter dix fois)

[JE] [SE] [CHE]

Josette jaugea la sauge sèche.

(répéter dix fois)

[JE] [SE] [CHE]

Jaugeais-je la sauge sèche ?

(répéter dix fois)

[JE] [SE] [CHE]

Le chat chauve lèche la sauge sèche.

(répéter dix fois)

[JE] [SE] [CHE]

Serge cherche à changer son siège.

(répéter dix fois)

[JE] [SE] [CHE]

Sans chichi,
ce chien riche
niche dans une
niche chiche.

(répéter dix fois)

[JE] [ZE] [SE] [CHE]

Jésus soupa chez Zachée.

(répéter dix fois)

[KA] [KE] [KI] [KO] [KU]

Qui donc quête ?
La cocotte
cadette ou le coq
coquet ?
La cocotte
cadette quête !

(réciter le plus vite possible)

[KA] [KE] [KI] [KO] [KU]

Qui caquette
et qui quête ?
Kiki quête
et Coco
caquette.

(répéter dix fois)

[KA] [KE] [KI] [KO] [KU]

Quoique cancaniers
quand les coqs
concassent la coco,
le cacatoès
concasse le cacao.

(réciter le plus vite possible)

[KA] [KE] [KI] [KO] [KU]

Kiki la cocotte concasse les cocos et écoute le cantique du coq cocasse.

(répéter dix fois)

[KI] [RI] [KAR] [AR]

Qui de Carl
ou Kiki rit ?
Qui rit et qui
a le haricot
du harki ?

(répéter dix fois)

[KI] [RI] [KAR] [AR]

Kiki a les trois quarts
de l'are de haricots
et un quart du lard,
car Carl le harki a
le quart de l'are de
haricots et les trois
quarts du lard.

(retenir et répéter)

[LA] [LE] [LI] [LO] [LU]

Laly l'a lu,
Lola le loue,
Lulu le lit
et Lolo l'a.

(répéter dix fois)

[LA] [LE] [LI] [LO] [LU]

L'élu de Honolulu lit et lie le lilas, l'élu de l'Illinois est loin et lent, l'élu de Lille est là...

(répéter dix fois)

[LASSE] [LISSE] [LOSSE]

Hélas, le lys
d'Alice lasse
et l'as Hélios
laisse l'os

(répéter dix fois)

[LOI] [LA]

Sous l'oie, le toit plat ploie.

(répéter dix fois)

[MAL] [LAME]

Elie, le mâle,
lima la malle
et mit la
lame à mal.

(répéter dix fois)

[MOUL] [MAL] [MOL]
[MEUL] [MIL]

Le moule mou moule mal.

(répéter dix fois)

[MOUL] [MAL] [MOL]
[MEUL] [MIL]

Une meule
moud mille
moules
molles.

(répéter dix fois)

[MOUL] [MAL][MOL]
[MEUL] [MIL]

Émile mit mille mules et mille mulets à mal.

(répéter dix fois)

[MINOU] [MINIA]

Un minou miniaturisé, la miniaturisation du minou.

(répéter dix fois)

[OMO] [ORNOR] [ONOR] [ENOR]

Un automobiliste autonome hors normes et l'énorme autonomie d'une automobile aux normes.

(réciter le plus vite possible)

[OMO] [ORNOR] [ONOR]
[ENOR]

Au Nord,
un énorme
Normand
hors normes
mord.

(répéter dix fois)

[ONNE]

Une nonne
tâtonne,
taponne
et tamponne
ta tonne
de tonneaux.

(répéter dix fois)

[ORAN] [ARAN] [ARDAN]

Laurent
harangue
ardemment
la harde
de harengs
ardents.

(répéter dix fois)

[OUSSE] [OUCHE]

La mouche
rousse
touche
la mousse.

(répéter dix fois)

[PE] [BE]

Pa Be Pi Bo Pu
Ba Pe Bi Po Bu

(réciter le plus vite possible)

[PETI] [PÉTI]

Petits pois font
petit appétit.
Petit à petit,
petit appétit fait
petit poids.

(réciter le plus vite possible)

[PLE] [PEL] [BLE] [BE]

Les plus beaux pulls blancs pèlent.

(répéter dix fois)

[PLE] [PEL] [BLE] [BE]

Il empile et déploie les belles piles bleues et désempile une pile pleine d'ampoules pâles.

(retenir et répéter)

[PLE] [PEL] [BLE] [BE]

Bol bleu,
bulles blêmes,
balles
blondes.

(répéter dix fois)

[PLE] [PEL] [BLE] [BE]

Plein de blattes plates blondes.

(répéter dix fois)

[PLUI] [PLI] [PLOI] [PIL]

Sous la pluie,

la plume ploie,

le plomb ne plie

pas !

(répéter dix fois)

[PLUI] [PLI] [PLOI] [PIL]

Plus la pluie plie
la pile de piles,
plus la pie épie
la pile de piles.

(réciter le plus vite possible)

[PLUI] [PLI] [PLOI] [PIL]

Pile je l'épie
et la plume,
face je l'épile
et la plie.

(répéter dix fois)

[RA] [RI]

Éric dit qu'il
rit des rats
dératisés
et des rats
éradiqués.

(répéter dix fois)

[SAM] [AMI]

Samy, l'ami de Sam,
a mis sa mie dans
la main de Sam. Sam,
l'ami de Samy, omit
sa mie dans sa main
et mit son salami
dans la main de Samy.

(retenir et répéter)

[SAN] [SON] [SEUR] [SOR]

Si son sang
sort, ce
censeur s'en
sort.

(répéter dix fois)

[SA] [SE] [SI] [SO] [SU]

Si sa salsa
salace lasse,
sa valse
enlacée aussi.

(répéter dix fois)

[SA] [SE] [SI] [SO] [SU]

Si ces six iris
se hissent ici,
son hérisson
se hérissera
aussitôt.

(répéter dix fois)

[SA] [SE] [SI] [SO] [SU]

S'il scie seul six cent soixante-six saucisses, scions ensemble six cent soixante-six saucissons secs !

(réciter le plus vite possible)

[SCE] [SCRE]

Cet escroc
de scripte
scrute encore
le score
du scrutin.

(répéter dix fois)

Dans son script, le scout scrute le scotch sans scrupule.

(répéter dix fois)

[SCE] [SCRE]

C'est un scoop si le scout écoute et scrute !

(répéter dix fois)

[SE] [CHE]

Ce chien sent ces chichis !

(répéter dix fois)

[SE] [CHE]

La biche
s'échappe
et lèche
la Miss.

(répéter dix fois)

[SE] [CHE]

La Miss moche
trébuche, la Miss
cruche s'accroche.

(répéter dix fois)

[SE] [CHE]

Sous chaque seau se cachent six choux.

(répéter dix fois)

[SE] [CHE]

De son échoppe,
ses chats
s'échappent,
se chopent
et s'écharpent.

(répéter dix fois)

[SE] [CHE]

Chacun son cierge, sa chandelle et son seau.

(répéter dix fois)

[SE] [CHE]

Si le sac de couchage
chauffe, le sac
de couchage sèche.
Donc, pour un sac
de couchage sec,
chauffer le sac et le
sac de couchage sèche.

(retenir et répéter)

[SE] [CHE]

Ses yeux chassieux sont sans charme.

(répéter dix fois)

[SE] [CHE]

Cette vieille chose sèche sur sa vieille chaussette.

(répéter dix fois)

[SE] [CHE]

Le chat sauvage
se sauve, le
chasseur chauve
le chasse.

(répéter dix fois)

[SE] [CHE]

J'ai les yeux chassieux et le sang chaud.

(répéter dix fois)

[SE] [CHE]

J'assiste au séchage des jacinthes de ces champs en jachère.

(répéter dix fois)

[SE] [CHE]

Sancho cherche son chiot sous sa chaise.

(répéter dix fois)

[SE] [CHE]

Sans chaise,
Sanchez
ne saurait
s'asseoir sur
son séant.

(répéter dix fois)

[SE] [CHE]

L'apache cache
l'attaché-case
et attache la caisse,
mais l'attache casse
et la caisse
se crasche
sur l'attaché-case.

(retenir et répéter)

[SE] [FE]

S'il le faut,
les saucissons
secs de Sophie
sont secs.

(répéter dix fois)

[SE] [SKE] [CASSE]

À qui sont
ces skis qui
se cassent !
Mais qu'est-ce
que ces skis qui
se cassent ?

(répéter dix fois)

[SIN] [SERE]

Cinq saints austères s'insèrent et six émissaires sincères osent se taire.

(répéter dix fois)

[SI] [OXI] [SE] [EX]

Silence !
Si ces six silex
s'oxydent, ces
six silos de silex
s'oxydent aussi.

(répéter dix fois)

[SPECTE] [EXPE] [EXTE]

Inspection express de l'extincteur !

(répéter dix fois)

[TAC] [TIC]

Le tic
est d'une ethnie
qui n'a ni tactique
ni éthique,
il tique et pique.

(réciter le plus vite possible)

[TAC] [QUE] [ACT]

T'es qu'un taquin !
Tu contactes
quelqu'un que
t'attaques et que
tu taquines.

(répéter dix fois)

[TAC] [QUE] [ACT]

Ton tacot
compact
est au contact
de ton capot
intact.

(répéter dix fois)

[TA] [TE] [TI] [TO] [TO]

Ton thé d'été t'a-t-il ôté toute ta toux ?

(répéter dix fois)

[TA] [TE] [TI] [TO] [TO]

T'a-t-on doté
de ton thé ?
T'a-t-on ôté ton thé ?
Pourtant, ta tata hâta
ton tonton de te doter
de ton thé. Ton tonton
ou ta tata te l'ont-ils
ensuite ôté ?

(retenir et répéter)

[TA] [TE] [TI] [TO] [TO]

Ta tante
Antoinette
t'attend. T'as
tant attendu
dans ta tente !

(réciter le plus vite possible)

[TA] [TE] [TI] [TO] [TO]

Tes taules et tes tuiles
tombent-elles toutes
de ton toit ?
Tais-toi et tâtons
tes tuiles et tes
taules à tâtons !

(réciter le plus vite possible)

[TA] [TE] [TI] [TO] [TO]

Ta tata mis
au tatami,
où t'as mis
tes tatanes ?
Ta tata t'a-elle
mis tes tatanes
au tatami ?

(réciter le plus vite possible)

[TAN] [DON] [TON] [DAN]

M'entends-tu ?

T'as tant attendu,

tant tendu ton tendon

en attendant Nathan,

qu'en attendant,

ton tendon est tout

détendu ! Entendu ?

(retenir et répéter)

[TAN] [DON] [TON] [DAN]

Attendons, tondons puis datons ta tonte au tampon dans ton donjon.

(répéter dix fois)

[TAN] [DON] [TON] [DAN]

Nous tendons nos tentes. En tendant tant nos tentes nous évitons que nos tentes ne s'étendent.

(réciter le plus vite possible)

[TA] [PA]

Tape ta pâte
à tapas et
passe ta
pâte à papa !

(répéter dix fois)

[TARE] [TRAC] [TARGUE]

Le Tartare traque
les têtards de
César et se targue
d'arpenter tard ses
ares de haricots.

(réciter le plus vite possible)

[TE] [PE]

Une toute petite pépite type.

(répéter dix fois)

[TOQUE] [COQUE] [COTE]

Astique la coque, mastique la toque, ça m'asticote.

(répéter dix fois)

[TON] [BON] [RON]

Ton bon bonbon rond fond.

(répéter dix fois)

[TOULE] [TULE] [TUILE]

Toutes les toiles
de tulle de Toul
s'étalent sur
tous les toits
de tuiles
de Tulle.

(réciter le plus vite possible)

[TRA] [STRA]

La tragique stratégie du stratège est une tragédie.

(répéter dix fois)

[TRE] [GRE] [CRE]

Trente-trois gros
crapauds gris
dans trente-trois
gros creux.

(répéter dix fois)

[TRE] [GRE] [CRE]

Trois crapauds gris croassent.

(répéter dix fois)

[TRE] [GRE] [CRE]

Trois ogres
ocre griment
trois autres
ogres d'encre
ocre.

(répéter dix fois)

[TRE] [GRE] [CRE]

Trois crabes
crus croissent.
Trois crabes
cuits crient.

(répéter dix fois)

[TRE] [GRE] [CRE]

Quatre cancrelats
croient craindre
quatre crapauds
cracheurs.

(répéter dix fois)

[TROI] [TRUI] [TRAN]

Trente étroites
truies et trois
étroites truies
font trente-trois
étroites truies.

(réciter le plus vite possible)

[U] [LU] [LE]

Je hulule

Tu hulules

Il hulule

Nous hululons

Vous hululez

Ils hululent

(réciter le plus vite possible)

[U] [LU] [LE]

Les libellules
pullulent et
l'hurluberlu
hurle.

(répéter dix fois)

[USE] [USSE]

Cette astuce
l'use et m'use !
Ça t'amuse
ou cette astuce
t'use-t-elle aussi ?

(réciter le plus vite possible)

[VIN] [VI] [VER] [VINRE]

Vincent vit
vingt vers, et
vingt vampires
verts vinrent !

(réciter le plus vite possible)

Retrouvez également :

Retrouvez également :

Retrouvez également :

Retrouvez également :